# 24 petites souris avant Noël

À mon fils et à son papa,
à nos Noëls futurs
dans notre petite famille.
M.

À Nina.
N. B.


Dépôt légal : octobre 2018
ISBN : 978-2-0814-4029-6
Imprimé en République Tchèque par PB Tisk – 11-2018
Éditions Flammarion (L.01EJDN001573.C002) – 87, quai Panhard-et-Levassor, 75647 Paris Cedex 13
Loi n° 49-956 du 16 juillet 1949 sur les publications destinées à la jeunesse

# 24 petites souris avant Noël

Une histoire de Magdalena
Illustrée par Nadia Bouchama

PÈRE CASTOR

# 1er décembre

Madame Honorine Souris accroche le calendrier de l'avent
en disant à ses 24 petites souris :
– Il reste 24 jours avant Noël !

Mamie Albertine sort son tissu damassé et ses fils colorés
pour broder la nappe de Noël.
Coline mélange les bobines de fils

# 2 décembre

C'est l'expédition !
La famille Souris part en ville regarder les vitrines de Noël.
Adeline et Aline mangent des gaufres à la crème Chantilly.
Adeline a de belles moustaches blanches.

# 3 décembre

Pauline propose d'écrire au Père Noël
une grande lettre qui fait toute la longueur du couloir.
Mandarine et Céline découpent des images
dans les catalogues de Noël.
Clémentine et Justine dessinent.

Maxime, Joakim et Théotime partent avec Papa Souris
couper le grand sapin dans la forêt.
Ho hisse ! Ho hisse !
Ils le tirent jusqu'à la maison !
Joakim avance à califourchon sur le tronc.

# 5 décembre

C'est la grande fouille.
Au grenier, la tête dans les malles et les cartons,
Martine et Marine cherchent des décorations.
Rosine se déguise en arbre de Noël.

# 6 décembre

Les petites souris décorent le sapin.
Roseline et Léontine accrochent
les boules, les guirlandes et les anges.
Violine grimpe sur la grande échelle
pour poser l'étoile sur la cime.

# 7 décembre

Sabine, Philippine et Amandine
cherchent dans le jardin des branches
et des pommes de pin.
Sabine trouve une drôle de boule…
c'est un hérisson !

# 8 décembre

Avec pinceaux et peinture,
Papa Souris et ses petits peignent en rouge et vert
des branches, des noix, des pommes de pin,
et tout ce qui leur tombe sous la patte.
Sandrine et Géraldine se disputent à coups de pinceaux
et finissent avec de la peinture plein le museau.

# 9 décembre

Valentine et Gwendoline découpent
toutes sortes de papiers :
papier brillant, papier froissé…
Théotime, Maxime et Joakim enfilent des cœurs,
des étoiles et des ronds, sur de longs fils
pour faire des guirlandes qui pendent du plafond.

# 10 décembre

Avec du sel, de l'eau et de la farine,
Mamie Albertine fait de la pâte à sel
pour fabriquer des petits bougeoirs.
Coline a de la pâte plein les pattes !

# 11 décembre

Toutes les petites souris, perchées sur des escabeaux,
des chaises, des tabourets ou des échelles,
décorent les vitres avec de la peinture blanche
et des pochoirs.
Sauf Céline qui a peur de tomber,
elle préfère regarder !

# 12 décembre

Maman Honorine distribue des cartes de vœux
pour écrire à ceux qu'on aime.
Pas un coin de table n'est libre.
Sabine pleure, elle n'a pas de place.

# 13 décembre

Cela sent bon le chocolat chaud dans toute la maison !
C'est le jour des truffes et des papillotes.
Les apprentis pâtissiers se lèchent les doigts.
Sandrine a caché des truffes dans la poche
de son tablier.

# 14 décembre

Il est temps de fabriquer la couronne de l'avent
pour l'accrocher sur la porte d'entrée.
Comme personne ne veut faire la même,
Maman Honorine décide d'en réaliser plusieurs :
une pour la porte du garage, une pour le portail,
une pour la porte de derrière
et une grande pour la porte de devant.
Ainsi, tout le monde est content…
sauf Théotime qui déteste
les couronnes de l'avent !

# 15 décembre

C'est la répétition des chants de Noël.
On remplace les instruments de musique
par des ustensiles de cuisine.
Quel boucan !
Maman Honorine a un peu mal à la tête !

# 16 décembre

Il neige !
La famille Souris fait un bonhomme de neige
pour commencer,
et une bataille de boules de neige
pour terminer.
Maxime, Marine, Mandarine
et Martine rentrent trempés !

# 17 décembre

Rosine et Roseline cherchent du houx partout
pour faire un bouquet.
Aïe ouille ouille ! ça pique !
Personne ne veut porter les branches !

# 18 décembre

C'est le jour du ramonage.
Joakim et Sabine nettoient la cheminée
pour le passage du Père Noël.

Sabine a trouvé un nid de cigogne.
Tant pis, elles devront déménager !

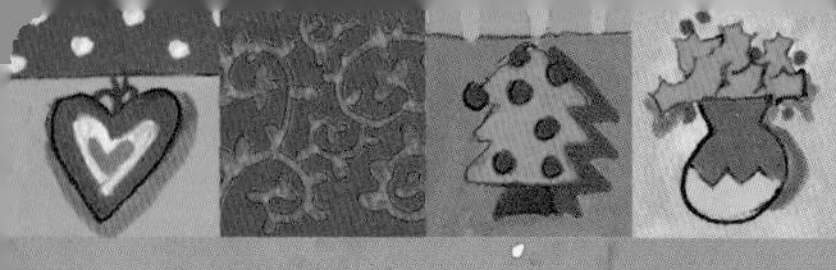

# 19 décembre

Zut, il y a de la suie partout !
Il faut faire le grand ménage,
à coups de balais et de chiffons, d'éponges et de torchons,
la maison est encore plus propre qu'avant.
Clémentine s'est cachée pour ne pas travailler.

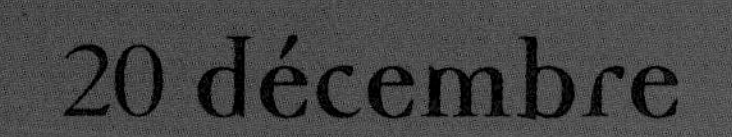

# 20 décembre

Il reste encore le jardin à décorer.
Amandine et Mandarine accrochent
des gros nœuds et des guirlandes électriques.
Pauline et Justine attachent une banderole
JOYEUX NOËL ! sur le toit,
ainsi le Père Noël reconnaîtra la maison !

# 21 décembre

Ce sont les dernières courses avant Noël.
Les petites souris, sac sur le dos,
choisissent des cadeaux
pour Papa et Maman Souris.
Violine boude en revenant,
car elle veut un jouet !

# 22 décembre

Léontine, Valentine et Géraldine
emballent les paquets.
Adeline et Aline se font des bracelets
et des serre-tête en ruban.
Maxime et Théotime plient du papier cadeau
pour faire des avions et des bateaux.

# 23 décembre

C'est le jour des pâtisseries :
petits sablés, roses de sable, bûche de Noël…
Un nuage de farine flotte dans la cuisine.
Barbouillées du museau aux pattes,
Céline et Gwendoline mangent des gâteaux.

Sandrine et Philippine préparent le repas
du Père Noël et des rennes, avant de se mettre au lit.
Thermos de chocolat chaud, gâteaux et carottes
attendent devant la cheminée sur un plateau.

Le **25 décembre**,
c'est enfin le jour de Noël.
Youpi !

## ▾ Dans la même collection ▾

**n° 5** | Michka

**n° 6** | Marlaguette

**n° 11** | La Plus Mignonne des Petites Souris

**n° 12** | L'Oiseau de pluie

**n° 19** | La Grande Panthère noire

**n° 24** | Le Petit Poucet

**n° 45** | Le Singe et l'épi de maïs

**n° 50** | La Sieste de Moussa

**n° 65** | Épaminondas

## Dans la même collection

**n° 72** | Va-t'en, gros loup méchant !

**n° 77** | Dame Hiver

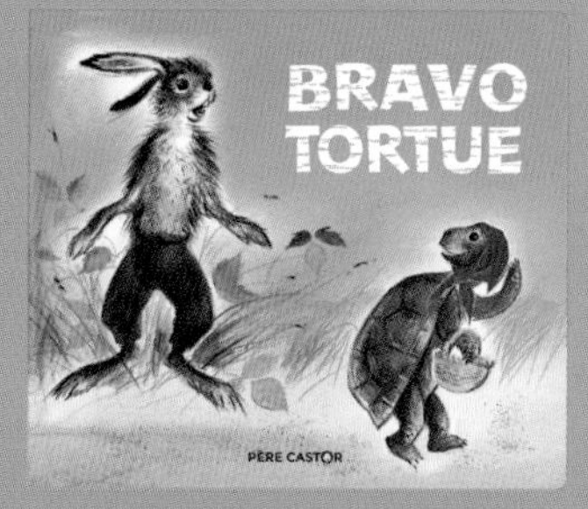


**n° 79** | Bravo Tortue

**n° 80** | La Légende de Saint Nicolas

**n° 81** | Le Démon de la vague

**n° 82** | Macha et l'ours

**n° 104** | Le Joueur de flûte de Hamelin

**n° 106** | Un gâteau 100 fois bon

**n° 147** | 24 petites souris et la neige de Noël